우연히 마주치는 것들에 대해

우연히 마주치는 것들에 대해

초판 1쇄 인쇄 2018년 11월 21일
초판 1쇄 발행 2018년 11월 28일

지은이 이종범(@picn2k)

발행인 장상진
발행처 (주)경향비피
등록번호 제2012-000228호
등록일자 2012년 7월 2일

주소 서울시 영등포구 양평동 2가 37-1번지 동아프라임밸리 507-508호
전화 1644-5613 | **팩스** 02) 304-5613

ISBN 978-89-6952-309-9 14980
978-89-6952-311-2 (SET)

· 값은 표지에 있습니다.
· 파본은 구입하신 서점에서 바꿔드립니다.

우연히 마주치는 것들에 대해

이종범
@picn2k

사색
유람

경향BP

들판을 가득 메운 꽃들이
꼭 내게 고백이라도 하는 것 같았어.
이 풍경을 잊지 말라고,
기억이 희미해질 때쯤이면
다시 또 찾아와 달라고.

너의 홍조를 닮은 벚꽃이
만개하는 날이면
어김없이 찾아오는
설렘주의보.

봄 같은 날씨다.

당장이라도

꽃잎이 날릴 것 같은,

그 꽃길을 걸어가면

네가 나올 것만 같은

그런 날씨.

네가 있음으로 인해 내게는
완연한 봄이었다.

여기저기서 흘러나오는 벚꽃엔딩,

바람에 살랑이는 나뭇잎들,

거리를 나뒹구는 낙엽,

첫눈이 땅에 닿는 순간,

계절이 오는 소리들.

꽃도 안 피었는데 왜 이리 봄 같은가 했더니,
내 옆에 있는 그대 때문인가 봐요.

비가 오는 봄이다.
비록 벚꽃은 지지만,
더욱 활기찬 봄이 올 것을 알기에
상심하지 않으려 한다.
오늘은 비가 오는 봄이다.

무척이나 좋아하는 전차를 타고
조용한 마을 구석구석을 다니는 게
어찌나 좋던지,
몇 시간 동안이나
벚꽃을 구경하며 보냈던 날.

Arakawa Line
7706

이러한 일상이라면
매일이 여행 같을 거라고,
그래서 나의 봄은
일본에서 보내고 싶다고 생각했어.

예고도 없이 찾아온 건,

희미한 달빛 때문에

네가 길을 잃을까 봐서.

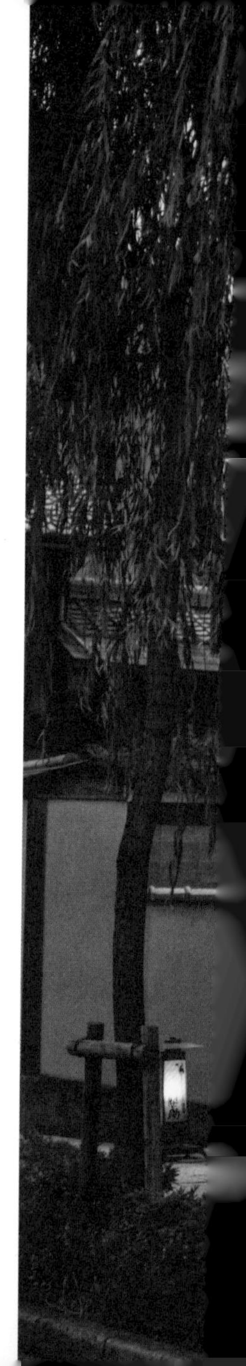

큐슈의 마지막 밤이 지나고, 하늘 위로 쏟아지는 별을 보며 노천탕에서 맞이하는 새벽녘이었지. 서서히 동이 트는 하늘의 끝을 잡기라도 하듯 슉- 하고 지나간 별똥별이 이리도 생생한데, 어찌 그날을 잊을 수 있겠어.

조금은 시원해서였을까,
산책하기 좋은 날이었던 호이안.
호이안에서 맞이한 여름밤에,
우리는 사뿐히 걸으며 이 거리를 산책할 거야.
다음에도, 또 다음에도.

화려한 불에는 나방들이 모여들 듯이,
낮보다 화려한 호이안의 밤에는 사람들이 가득했지.
나 또한 그들 중 하나였고,
찬란한 불빛 속 우리는 춤을 추는 것처럼 보였을 거야.

달아,

오늘 밤은 너도 걸음을 서두르는구나.

캄캄한 밤. 아니, 캄캄하지 않았지.
캄캄할 수 없었어. 수많은 별들이 반짝이고
무수한 꿈들이 머리 위를 빛내고 있었으니까.

밤 삼킨 별,

쏟아지도록 많은 별들이

밤을 삼켜버린 거야.

나의 나침반이 너를 가리키듯,

외로이 선 전봇대는 하늘을 가리킨다.

그저 밤이 오면 저 위를 보라는 듯이.

나에게 오키나와는 늘
2년 전의 추억 속에 살게 하는 곳.
지나가는 것들을 붙들기엔,
사진만 한 것이 없다고 믿는다.

ダイコク

어디로 가야 할지 모르겠을 땐
종착지를 모르는 버스를 타고
어디로든 떠나보는 거야.

TAKASAGO TAXI

똑 닮은 것들,

자판기 둘, 나무 두 그루, 신호등 둘

그리고 두 명.

혼자 남은 택시 하나.

日發文具
YAT FAT

아마도 홍콩에서 가장 오래 머물렀던 거리.
낮에도 밤에도, 비가 오던 순간에도.

골목을 지나가며 수시로 돌아보고,
그래도 아쉬워 다 지나온 골목을 뒤돌아보는,
나와 같은 너의 버릇이 좋다.

마치 장난감 같은 색깔로
골목골목 색칠하며 오가는 홍콩의 택시들.

그저 카메라를 들고 있는 이방인이라면 조금만 헤매는 모습을 보여도 먼저 다가와 길을 알려주던 그런 곳. 더운 날씨에 지쳐가던 홍콩에서 친절함을 느끼게 해주던, 아파트의 색만큼이나 아름답던 곳.

충분한 아쉬움을 그곳에 남겨두고,

다시 또 가기 위한 이유를 가져온 거야.

철썩이는 파도에 찢겨 모조리 쓸려 내려가도,

내 생각이 조금은 남아있길 바라.

2

아주 가끔이야.
매일 아침 햇살이 창을 타고 들어올 때,
태양이 구름을 삼킬 때, 땅거미가 내릴 때,
가득 찬 달빛이 창문을 두드릴 때,
그렇게 네 생각이 나는 아주 가끔.

수평선 위로 빼꼼 올라온 협재 파도의 물머리.

희미한 미소를 머금고 달려오던 누군가를 닮아서일까.

나는 망설임 없이 협재를 좋아할 수 있었다.

바다에 들어가는 걸 좋아하지는 않아요,

그래도 보는 것만큼은 바다가 제일이더라고요.

우리에게 보이는 풍경은 망설임이 없다.
망설이는 것은 오직 우리였을 뿐일지도.

숲의 속살을 들여다보면 나무들의 정성이 보인다.
단순한 듯 망설임 없는, 명화 같은 사려니숲의 정성이.

"와리지 말아, 촌촌이 봅서예."
너무 서두르지 말고, 천천히 보세요,
라는 뜻을 가진 제주 방언.
여행자에게 얼마나 고마운 말인가.
서두르지 마세요,
천천히 사진을 읽어주세요.

참 좋다.
서로가 방해받지 않는
그 적당한 거리의 온도가.

지나간 추억에 살고 싶다.
미화된 기억 속을 허우적거리고,
행복한 바람을 타고 어디든 날아다니며.

햇살도 좋고 공기도 좋은 날들의 연속.
우연히 비가 온다는 소식이 들려와도
그 덕에 맑아질 다음날이 더 기대되는 요즘.

Labhart

금방이라도 하늘이 무너질 것처럼 비가 쏟아지더니 금세 맑아진 날이었어. '아무렴 어때, 거짓말 같은 날씨에 한 번쯤 속아주지 뭐.'라고 속으로 속삭이고는 기분 좋은 미소를 머금고 골목골목 한 걸음 한 걸음. 또 나만의 골목 여행을 시작했지.

유독 흐렸던 여행이 끝나고,
그렇게 밉다, 싫다 했으면서도
끝나고 나니 또다시 갈 이유를 만들고 있었어.
그래도 다음엔 맑았으면 좋겠다고 하면서.

태풍을 견디는 가장 좋은 방법은
그저 탈 없이 지나가기를 기다리는 것.
금방 또 해는 뜨고, 언제 그랬냐는 듯
맑은 햇살이 하늘을 비춰줄 거야.

'괜히 걷는다고 했나?'라는 생각이 들다가도 또 금세
역시 걷기를 잘했다고 생각을 고치게 만드는 풍경들.

夫婦福木
販売

상상해오던 여행지의 모습을 실물로 마주하게 될 때.

HOTEL
GLETSCHER-RESTAURANT
BELVEDERE

ぐるくん1号

멋진 구름들이 서로 자신을 뽐내고,
파도는 더욱 열심히 철썩이며
그렇게 지나가는 시간 일분일초가 아깝던 날.
하지만 여유를 잃지는 말아야지,
여행에서 배운 소중한 것들을 기억해야 해.

이토록 행복한데 천국이 아니면 어때,

천국만큼이나 좋은걸.

저기 저 높은 구름 좀 봐.

걱정을 내뱉기 딱 좋은 구름이야.

하루하루가 다른 노을처럼 하루하루 다른 나날일 테니
너무 걱정 말라고, 또 다른 내일이 기다릴 거라고.
보랏빛 공기를 가득 들이켜고 크게 내뱉어.
걱정은 그렇게 뱉어내는 거야.

오늘의 노을은 계절 같았다.

여름처럼 뜨겁게 불타올라 가을처럼 느리게 식어가는.

220
120

옛 사진을 다시 보정할 땐
지나간 시간만큼의 추억이 묻어나는지,
조금은 더 깊고, 진한 느낌으로 변하곤 하지.
딱 추억 그 무게만큼.

언젠가부터 새로운 것보다

익숙함 속의 편안함을 찾게 되었지.

나는 가만히 있었을 뿐인데,

세월이 훅- 나를 훑고 지나간다.

계절의 골목을 지나 시간을 담으며

구석구석을 여행합니다.

酒

유독 확 꽂히는 노래를 한 곡 반복으로 틀어놓고는 노래의
가사와 음표 하나하나를 여행하는 기분으로 하루를 채우기.

좋은 순간은 향기로 기록된다.

25
9 Wabern

이곳의 분위기는 공기를 타고 이동해.

언젠가 네가 있는 곳에 닿게 될 거야.

HOTEL STRATFORD
YOU CAN.
in PORTLAND
NO STOPPING
ANY TIME
UGG
POWELL AND MARKET
HYDE & BEACH
FISHERMANS WHARF
2

오늘 하루.

눈으로는 담아내고,

머리로는 기억하며,

사진으로 기록하기.

그리움은 여기 두고 갈게.

가끔씩 네가 그리울 수 있게.

JUST TAKES ONE MINUTE

그들의 일상이 내게는 영화의 한 장면 같듯
우리의 일상도 누군가에겐 영화 같겠지.

지나가는 이 하루를 가볍게, 그리고 단단히 잡을 거야.

그리고 너에게 선물할게.

따로 일기는 쓰지 않지만 사진으로 생생히 기억 나.
이날이 언제였는지, 어디서 어디를 향하고 있었는지,
그 순간뿐만 아니라 그날의 전부를 담고 있는,
내게는 그런 사진들이자 나의 일기장. 그날의 기록들.

장을 보러 가면서, 버스를 타러 가면서
그렇게 가장 많이 지나쳤던 그 골목이 그립다.
가장 기억에 남는 것은 이토록 일상적인 것들뿐.

BOULANGER
PATISSIER
INSECC
COMPTABILITE
CIC
BOULANGER PATISSIER

사랑과 낭만의 도시 파리에서 '사랑할 사람이 없다면 에펠이 있지 않은가?'라고 생각했지. 나는 그렇게 파리에 있는 순간만큼은 에펠과 사랑에 빠졌던 거야.

한 계절을 여행지로 가득 채울 수 있다면
내 여름은 푸른 유럽으로 가득 찰 거야.
덥지만 습하지 않았고, 여유가 가득했던 유럽에서
그저 쉬고 창문 밖 하늘이나 보면서 있었을 뿐인데,
그게 그렇게 좋고 또 좋았거든.

그땐 실감하지 못했던,

파리에서의 눈부셨던 일상들.

우리는 가만히 서로를 공유했다.
하늘이 사랑으로 가득 찼다.

이렇게 예쁠 줄 알았더라면,

조금이라도 더 오래 머무를걸.

HOTEL
Speiserestaurant
GALENSTOCK

아무리 잘 계획한 여행이어도 틈은 꼭 생기고야 만다.
하지만 그 틈을 채우는 것 또한 여행의 묘미.
그렇게, 여행은 틈을 만나러 가는 것일지도.

현실에 타협하는 여행은 재미없잖아?

매 순간 사랑스럽기 바빴던,

베니스에서의 어느 날.

누구나 바보처럼 웃을 수 있는 곳.

누구나 황금기의 어린 시절로 돌아갈 수 있는 곳.

뒤늦게 낳은 후회와 아쉬움이 섞인 그리움에
우리는 다시 또 그곳을 찾게 되겠지.

여행하는 삶 속에 영화 같은 순간들.

한창 뜨거웠던 로마, '이 뜨거움이 그들의 열정에서 나오는 게 아닐까?'라는 생각을 했어. '뜨거운 도시 속 차분한 건물들과 열정이 넘치는 그들의 모습이 이 도시를 태우는 게 아닐까.' 하는 그런 생각.

늘 사진으로만 보던 곳을 마주하는 순간,
두근대면서도 속이 확 트이는 기분!

마법은 멈출 수 없고,

우리가 할 일은 오로지 이 아름다움을 느끼는 것뿐.

이래서 좋았지,

생각을 비워낸 곳에 창밖 풍경을 가득 담으면 되거든.

상상할 수 있었던 그곳에서는
상상 그 이상이 반겨주고 있었어.

초록색 들판과 하얀 만년설, 그리고 파란 하늘.
확실한 색들이 자유롭게 섞여 있고,
이방인이 되는 게 아쉬웠던 순간.

오래된 필름을 인화하는 건
꼭 타임캡슐을 열어보는 기분이야.

20999L1

춥거나 더운 날에는 저 먼 반대의 계절을 떠올려.

지금은 6월의 로마, 그 정도가 딱 좋겠어.

문득 '그곳은 그대로일까?' 하는 생각이 든다.
변한 것은 나뿐일지도 모른다는 불안감과
그럼에도 내가 기억하고 있음에 대한 안도감이 함께.

시간이 흐르고 추억이 미화되는 이유는

메마른 기억에 꽃이 피어났기 때문이야.

오늘도 어김없이 창밖의 풍경만으로 오늘의 날씨를 예상한다. 조그만 창문의 프레임에 의존한 채, 마치 창문 속 풍경이 내게는 전부인 것처럼.

가끔 그런 생각을 해.

한 번 다녀온 여행지를 다시금 찾고 싶을 때,

그곳이 나를 그리워하는 건 아닐지.

MUNI ONLY

파도가 한없이 밀려온다.

노을빛을 털어내듯 금빛 물보라를 일으키며.

내가 알지 못하는 경험들을

타인의 기록을 빌려 여행하는 시간.

진한 시계 자국이 손목에 남는다.
이토록 뜨겁고 찬란한 여름이다.

발걸음이 떨어지지 않아

몇 번이고 돌아보기만을 반복했지.

오늘 밤 그려 놓은 하늘은

온통 당신으로 가득 차 있습니다.

가슴 뛰는 여행을 동경한다. 뜨거운 사랑을 동경한다. 무엇인가를, 누군가를 동경한다는 것은 내게 하나의 동기부여이자 또 하나의 삶의 의미이기에, 나는 그들의 인생을 동경한다.

별이 다 비치는 호숫가에 장작을 피워놓고,
시간 가는 줄 모르고 이야기를 나눈다.
하늘의 별만큼이나 많은 이야기들이 지나가고,
또 하나의 버킷리스트가 지워진다.

Beach

그 순간 느꼈지,

"나는 분명 캘리포니아를 그리워하게 될 거야."라고.

우연히 '그 시절'을 검색했더니 사전에 '靑春(청춘)'이라고 나오더라고. 어쩌면 우리는 과거를 회상하는 무수한 그 시간 속에서 돌아가고 싶은 청춘의 날들을 떠올리고 있는지도 몰라.

patagonia

여유로움에는 그리움과 두근거림 또한 존재한다.

너를 만나러 가는 동안,

내 세상은 황금빛으로 물들었어.

얇은 초승달에 베여도 그 여운은 깊게 남겠지.

보는 것뿐만 아니라 읽을 수 있는 사진이 되기를.
잠들기 전 누군가의 마음을 달래주는 작은 시집처럼,
누군가에겐 여행을 떠나기 전 잠 못 이루는 밤의 설렘처럼.

설렘이 없어도 좋아.

여행 그 자체가 좋으니까.

열에 아홉을 이성으로 가득 채웠으니,

하나는 낭만으로 가득 채울 차례.

Make us feel alive.

빛은 우리가 살아있음을 느끼게 해.

오래된 것일수록 향기는 깊어진다.

희미한 기억들은 쌓이고 쌓여
나를 더욱 멀리 데려다줄 거야.

좋은 여행은 좋은 사람이 만들어준다.

"꿈이 뭐예요?"
'여행' 하면 떠오르는 사람이 되고 싶어요.

늘 같은 자리에 있는 것들,

언제나 같은 곳에서 우리를 반겨주는.